MW00901397

¡Vamos, Cody!

Escrito por Pat Blancato Eustace

Ilustrado por Cristal Baldwin

Ilustrado por Cristal Baldwin (Flying Frog Studio)

ISBN: 978-1-946702-64-7

Freeze Time Media

Un agradecimiento especial a mis nietos, Ava, Wyatt y Colton Blancato, por sus ideas para este libro;

también muchas gracias a Wyatt Baldwin por su interés.

Gracias a Di Freeze por su paciencia increíble en publicar este libro.

Para todos los perros y sus humanos

¡Hola, mi amigo!

Oye, ¿tienes un perro?

¿Tu perro **habla**?

¡Por supuesto que no!

Los perros no hablan -¡como las personas!

Pero, ¿tu perro te **comprende**?

¿Sí? Y ¿cómo lo sabes?

Pues, ¡**Mi** perro **me** comprende bien!

Yo quiero presentarte a mi perro, Cody.

Él y yo nos comunicamos todo el día.

Pero, ¿cómo? ¿Cómo es posible esto?

Bueno, vamos a ver un día típico...

Por la mañana...

Cuando Cody se levanta, está muy emocionado de empezar el día, ¡con la comida - por supuesto!

Él piensa, <<¡**Vaya! ¿Dónde está?**
¿Dónde está la comida? >>

Yo lo llamo, -Cody, ¡ven acá; es la hora de **comer**!-

<< **¿COMER? ¿COMER? ¡Sí, COMER!** >>

Mueve su cola, corre a su plato y come su comida, ¡que desaparece - inmediatamente!

Él piensa, << **¡Comer es tan divertido!**
¡Me gusta mucho! >>

Cody

Pero pronto...

Cody me mira fijamente.

Yo le pregunto, -¿Qué pasa, chico? ¿Qué quieres?-

Cody piensa, <<**¡ Yo quiero más, Mami; por favor, más comida!** >>

-¡No, Cody, no más ahora!-

Cody piensa, << **¡Caramba...NO me gusta, 'NO'!** >>

Entonces él se acuesta en el piso, y suspira.

Más tarde...

Yo leo el correo electrónico en la oficina.

Cody se acuesta en el sofá.

Y espera. Y suspira...muy fuerte.

-¿Qué pasa ahora, chico?-

Cody piensa, << **¡Estoy aburrido; quiero jugar!** >>

Entonces, él salta del sofá y pone sus patas en mis hombros, moviendo su cola, ¡como loco!

-No, ahora no, mi perrito; en cinco minutos, vamos a jugar.-

Cody piensa, << **¿NO? ¿OTRA VEZ, NO? ¡NO me gusta 'NO'!** >>

Pero regresa al sofá, y suspira.

Después de cinco minutos...

Yo le pregunto, -¿Dónde está tu **pelota** favorita, chico?-

<< **¿PELOTA? ¿PELOTA? ¡SÍ, PELOTA!** >>

Cody busca la pelota entre un montón de juguetes.

Peluches, huesos, juguetes para tirar...

Pero, pronto ve la pelota y piensa, << **¡Oye, aquí está!** >>

Él deja caer la pelota a mis pies, y ¡es la hora de jugar!

Cody piensa, << **¡Jugar con la pelota es muy divertido! ¡Me gusta mucho!** >>

Por la tarde...

Yo le digo, -Bueno, Cody, ¡vamos a salir en el **carro**!-

Rápidamente, él me mira con ojos gigantes, y mueve su cola.

<< **¿CARRO? ¿CARRO? ¡Sí, CARRO!** >>

Y yo le grito, -¡Vamos, Cody! ¡Arriba, arriba, chico!-

Cuando él salta a la silla de atrás del carro, Cody piensa, << **¡Muy bien...vámonos, Mami!** >>

En el carro...

Cody mira por la ventana abierta. ¡Está muy contento!

Casas, árboles, camiones, niños, bicicletas, conejos...¡Vaya!

Cody piensa, << **¡Salir en carro es muy divertido! ¡Me gusta mucho!** >>

Después de un rato...

Yo le digo, -¿Sabes qué, chico? ¡Vamos al **parque** de perros!-

<< **¿PARQUE? ¿PARQUE? ¡SÍ, PARQUE!** >>

Y mueve su cola alegremente todo el camino al parque.

Antes de abrir la puerta del carro, yo le digo, -Siéntate y quédate, chico.-

Cody se sienta y se queda. ¡Qué buen perro!

Entonces yo le grito, - ¡Vamos, Cody! ¡Vamos!-

Y ¡él salta del carro - como un canguro!

En el parque...

Hay perros corriendo, jugando y saltando.

¡Es una fiesta de perros!

Cody ve a algunos de sus perros-amigos:

<< **¡Hola, Frida, Estrella y Churro!**
¡Hola, Albóndiga y Kali! >>

Ellos corren para saludar a Cody...y ¡la carrera empieza!

Uno, dos, tres, cuatro, cinco, seis perros;

Cody piensa, << **¡Mírame, Mami! ¡Soy el líder!** >>

Después de jugar, Cody me sigue al carro
y ¡se duerme inmediatamente!

Cuando llegamos a casa, Cody piensa, <<**¡Ir al parque de perros es muy divertido! ¡Me gusta mucho!** >>

A las cinco de la tarde...

Cody corre a la ventana y piensa,

<< **¿Es el camión? ¿El camión de Papá?** >>

<< **¡Genial! ¡Sí! ¡Papá! ¡Papá llega a casa!** >>

¡Cody abraza a Papá y Papá abraza a Cody!

Ellos juegan, bailan y se divierten.

<< **¡Jugar con Papá es muy divertido!**
¡Me gusta mucho! >>

Finalmente, llega la noche...

Desde la puerta, Papá grita, -Cody,
¡mira! ¡Mira! ¡Es el **conejo**!-

<< **¿CONEJO? ¿CONEJO? ¡Sí, CONEJO!** >>

Y Cody corre afuera para ver a su amigo, Conejo.

Cody y Conejo se miran, cara a cara...

Cody baja su cabeza a la izquierda y a la derecha, y piensa,

<< **Hum, qué perro tan extraño; Conejo es diferente a mis otros perros-amigos .** >>

Entonces...

Cody piensa, << **¡Hola, Conejo! ¡Hola, amiguito! ¿Qué pasa?** >>

Pero inmediatamente, ¡Conejo sale corriendo!

Cody piensa, << **¡Adiós, Conejo! ¡Adiós, amiguito! ¡Hasta mañana!** >>

<< **No sé por qué Conejo nunca juega conmigo.** >>

<< **Pero, ¡así es!** >>

<< **¡Sí! ¡Visitar a Conejo es muy divertido! ¡Me gusta mucho!** >>

Después de pocos minutos...

Papá le grita, -Cody, ¡ven! ¡Ven acá! ¿Quieres tres **galletas**?-

<< **¿GALLETAS? ¿GALLETAS? ¡SÍ, GALLETAS!** >>

Papá lanza una, dos, y tres galletas;

¡Cody atrapa una, dos, y tres galletas!

¡Buen perro, Cody!

Él piensa, << **¡Comer tres galletas es muy divertido! ¡Me gusta mucho!** >>

A las nueve de la noche...

Yo le digo, -Cody, ¡ven a dormir en el **sofá**!-

<< **¿SOFÁ? ¿SOFÁ? ¡Sí, SOFÁ!** >>

Y como siempre, Cody salta a su lugar favorito en el sofá.

Y piensa, << **¡Dormir en el sofá es muy divertido! ¡Me gusta mucho!** >>

Y finalmente...

Cody piensa,

<< **¡Qué super-buen día!**

Me gusta mucho todo,

jugar con mi pelota favorita,

salir en carro,

ir al parque,

comer tres galletas

y por supuesto, visitar a Conejo...
ESPECIALMENTE, ¡VISITAR A CONEJO! >>

Y así, Cody duerme, toda la noche con
su 'conejo de juguete' a su lado.

¡Buenas noches, Cody!

¡Buenas noches!

Sobre la autora

Pat Blancato Eustace es una ex-profesora de español. Vive en Connecticut con su exposo y su "fox-red" lab, Cody. Éste es su segundo libro de español/inglés para niños.

Sobre la ilustradora

Cristal Baldwin recibió su titulación de Bellas Artes de la Universidad de Wittenburg en Springfield, Ohio. Ella continúa creando una variedad de arte, por su compañía, "Flying Frog Studio".

Let's go, Cody!

Written by Pat Blancato Eustace

Illustrated by Cristal Baldwin

Ilustrated by Cristal Baldwin (Flying Frog Studio)

ISBN:978-1-946702-64-7

Freeze Time Media

A special thanks to my grandkids Ava, Wyatt and Colton Blancato for their ideas for this book; also, many thanks to Wyatt Baldwin for his interest.

Thank you to Di Freeze for her incredible patience in publishing this book.

For all dogs and their humans

Hi, my friend!

Hey, do you have a dog?

Does your dog **talk**?

Of course not!

Dogs don't talk - like people!

But, does your dog **understand you**?

Yes? And, how do you know?

Well, **MY** dog does understand **ME**!

I want to introduce you to my dog, Cody.

He and I communicate all day!

But, how? How is this possible?

Well, let's look at a typical day...

In the morning...

When Cody gets up, he's very excited to start the day, with food - of course!

He thinks, **OK, where is it? Where's the food?**

I call him, "Cody, come here; it's time to **eat**!"

EAT? EAT? YES, EAT!

He wags his tail, runs to his dish and eats his food, which disappears - immediately!

Cody thinks, **Eating is such fun! I love it!**

Cody

But soon...

Cody stares at me.

I ask him, "What's up, boy? What do you want?"

He thinks, **I want more, Mom! Please! More food!**

"No, Cody, no more now!"

He thinks, **Ugh! I do NOT like 'NO'!**

Then he lies on the floor and sighs.

Later...

I read the e-mail in the office.

Cody lies down on the couch.

And waits. And sighs...very loudly.

"What's up now, boy?"

Cody thinks, **I'm bored; I want to play!**

So, he jumps off the couch and puts his paws on my shoulder, wagging his tail, like crazy!

"No, not now, my puppy; in five minutes, we'll play."

Cody thinks, **NO? AGAIN, NO? I do NOT like 'NO'!**

But he goes back to the couch, and sighs.

After five minutes...

I ask him, "Where's your favorite **ball**, boy?"

BALL? BALL? YES, BALL!

He looks for his ball in a mountain of toys.

Stuffies, bones, tug toys...

But, soon he sees the ball and thinks, **Hey, here it is!**

He drops the ball at my feet, and - it's time to play!

Cody thinks, **Playing ball is such fun! I LOVE it!**

In the afternoon...

I say to him, "OK, Cody, let's go out in the **car**!"

Quickly, he looks at me with gigantic eyes, and wags his tail.

CAR? CAR? YES, CAR!

And I shout, "Let's go, Cody! Up, up, boy!"

When he jumps to the back seat of the car, Cody thinks, **Yay! Let's get moving, Mom!**

In the car...

Cody looks out the opened window. He's so happy!

Houses, trees, trucks, kids, bikes, bunnies...wow!

Cody thinks, **Going out in the car is so much fun! I love it!**

After a while...

I say, "Guess what, boy? We're going to the dog **park**!"

PARK? PARK? YES! PARK!

And he wags his tail happily all the way to the park.

Before I open the car door, I tell him, "Sit and stay, boy."

Cody sits and stays. What a good dog!

Then I shout, "Let's go, Cody! Let's go!"

And he leaps from the car - like a kangaroo!

In the park...

There are dogs running, playing, and jumping.

It's a dog party!

Cody sees some of his dog friends.

Hi, Frida, Star, and Churro!
Hi, Meatball and Kali!

They run to greet Cody...and the race begins!

One, two, three, four, five, six dogs;

Cody thinks, **Look at me, Mom! I'm the leader!**

After playing, Cody follows me to the car, and falls asleep right away!

When we get home, Cody thinks, **Going to the dog park is so fun! I love it!**

At 5:00 p.m. ...

Cody runs to the window and thinks,

Is it the truck? Dad's truck?

Yahoo! Yep! Dad! Dad is home!

Cody hugs Dad and Dad hugs Cody!

They play, dance and have fun.

Playing with Dad is such fun! I love it!

Finally, at nighttime...

From the door, Dad shouts, "Cody, look! Look! It's the **Bunny**!"

BUNNY? BUNNY? YES, BUNNY!

And Cody runs outside to see his friend, Bunny.

Cody and Bunny look at each other, face to face...

Cody lowers his head to the left and to the right, and thinks,

Hmmm, what a strange dog; Bunny is different than my other dog friends.

Then...

Cody thinks, **Hi, Bunny! Hi, little buddy! What's up?**

But immediately, Bunny takes off running!

Cody thinks, **Bye, Bunny! Bye, little buddy!** ***See ya tomorrow!***

I don't know why Bunny never plays with me.

But, that's the way it is!

Yep! Visiting Bunny is so much fun! I love it!

After a few minutes...

Dad shouts, "Cody, come! Come here!
Do you want 3 **cookies**?"

COOKIES? COOKIES? YES, COOKIES!

Dad throws one, two, and three cookies;

Cody catches one, two, and three cookies!

Good dog, Cody!

Cody thinks, **Eating 3 cookies is so much fun! I love it!**

At 9:00 p.m. ...

I tell him, "Cody, come sleep on the **couch**!"

COUCH? COUCH? YES, COUCH!

And like always, Cody leaps to his
favorite spot on the couch.

And thinks, **Sleeping on the couch
is so much fun! I love it!**

And finally...

Cody thinks,

What a super-good day!

I love it all,

playing with my favorite ball,

going out in the car,

going to the park,

eating three cookies

and of course, visiting Bunny...
ESPECIALLY, VISITING BUNNY!

And so, Cody sleeps, all night long with
his 'toy bunny' at his side.

Good night, Cody!

Good night!

About the Author

Pat Blancato Eustace is a former Spanish teacher. She lives in Connecticut with her husband and her "fox-red" lab, Cody. This is her second Spanish/English children's book.

About the Illustrator

Cristal Baldwin received her fine arts degree from Wittenberg University, in Springfield, Ohio, and continues to create a variety of artwork through Flying Frog Studio.

CPSIA information can be obtained
at www.ICGtesting.com
Printed in the USA
BVHW090500281122
651961BV00002B/5